UNA DES... ....

MISTERIOSA

THERESA MARRAMA

ISBN: 978-1-7339578-3-0
ISBN-13: 978-1-7339578-3-0

ÍNDICE

ACKNOWLEDGMENTS

Thank you Carla Villalba for copyediting and formatting my story and I would like to thank the team at Arienne Trans for working on the translation of this book into Spanish.

A big thank you to Jennifer Degendhart, John Sifert, Patricia Verano, Andrea Dima Giganti and Ana Siqueira for taking the time to read my story and for providing amazing feedback! It is wonderful to have colleagues and friends willing to share their time and energy to help others!

PRÓLOGO

Su mejor amiga ya no está aquí... ¿Dónde está? Esta es una pregunta que todos en Perú se hicieron la semana pasada.

Ahora Ana está sola, pero la desaparición de su mejor amiga la persigue cada noche. Es un sueño horrible, una pesadilla que se repite día tras día…

UNO

FRENTE A SU CASILLERO

Son las cinco y media de la tarde. Estoy sola en la escuela. Miro el casillero frente a mí. Hay muchas fotos y cartas. Hay muchas flores y plantas en el suelo frente al casillero.

Estoy frente al casillero de mi amiga. No solo mi amiga, sino mi mejor amiga. Estoy sola. No hay nadie en la escuela. Estoy sola con mis pensamientos.

Sin ti, Daniela, todo es diferente. Sin ti estoy sola.

En la escuela, mi casillero está al lado del suyo. No hay nada en mi casillero. Estoy mirando el casillero de Daniela. Miro todas las flores y plantas. Todos en la escuela piensan mucho en Daniela. Pusimos las flores y las plantas frente a su casillero. Ponemos las cartas y las fotos porque queremos recordar a Daniela. Es una situación triste. Todo es triste.

Camino hacia unas flores frente a su casillero. Las miro y luego veo algo extraño. Veo una flor sola en el suelo. Esta flor no estaba allí esta mañana. Esta flor no es como las otras que están frente a su casillero. Es roja, pero hay algo pegado a la flor. Veo una foto. Es una foto de Daniela pegada a la flor. Es una *selfie*. Es una *selfie* de ella, en el bosque.

La foto de mi amiga me paraliza. No me gusta el hecho de que no esté aquí. No me gusta que esté desaparecida. No me gusta no entender lo que le pasó a mi mejor amiga. No me gusta ver flores y cartas para Daniela en todas partes. No me gusta esta situación. No me gusta mi vida sin mí mejor amiga. No me gusta. ¡No me gusta para nada!

Así que estoy corriendo. Corro a la puerta para salir de la escuela. Corro rápido, sin respirar. Corro sin pensar. Estoy corriendo. Estoy llegando a la puerta. ¡Me estoy volviendo loca! Finalmente, estoy respirando. Respiro y miro su casillero por última vez. Veo la flor. Veo su foto en el bosque.

¿Por qué está la foto ahí? ¿Por qué hay una foto de Daniela en el bosque? ¿Quién puso la foto ahí? Y, lo que es más importante, ¿por qué esta foto?

Miro su casillero en silencio, pienso en Daniela y en una frase que repite en mi sueño. Daniela repite la misma frase en mi sueño. Desde que Daniela desapareció, he tenido el mismo sueño noche tras noche. Siempre es el mismo sueño. Siempre es la misma frase que repite.

—Ana, tenemos que hablar. Es importante.

¿De qué quiere hablar? No, es solo un sueño. Es un sueño que me persigue.

Ahora mismo estoy corriendo a su casillero. Me llevo la flor con la foto de Daniela. Mientras camino hacia mi casa hay viento. Hay viento con un ruido horrible.

Tengo la flor y la foto en mi mano. La flor vuela en el viento pero todavía tengo la foto en mi mano. Camino rápidamente a mi casa mirando la foto. Solo oigo el viento. El viento que aúlla como los lobos.

DOS

Preocupaciones

Son las seis y media de la tarde. Mi padre está en casa. Esto no es normal. Nunca está en casa, pero hoy está aquí. Vivo con mi padre. No tengo hermanos ni hermanas. Mi madre murió cuando yo era bebé. Cuando mi padre está en casa, me da pánico. Me entra el pánico porque siempre me hace muchas preguntas desde que Daniela desapareció. Hoy quiero estar sola. Veo a mi padre en el salón. No voy al salón. Mi padre habla por celular. Estoy escuchando la conversación. Me pregunto, *¿con quién está hablando?*

—Sí, todo es muy difícil. Trabajo todo el día. Trabajo todos los días. No tengo tiempo para nada.

Pienso: *¡Es verdad! No tienes tiempo para nada y ciertamente no tienes tiempo para mí.*

—¿Ana? Es más difícil. No suele estar en casa. Ella está en la escuela todos los días. Y cuando está en casa, está en su dormitorio. Ella no dice nada. Ella nunca me habla.

¿Quién no habla? ¿Yo? ¿Con quién quieres que hable? ¿Contigo?

—No, no llamé a un terapeuta.

¿Un terapeuta? Oh, ¿en serio? No necesito un terapeuta. ¡Necesito a mi mejor amiga!

—Hay un terapeuta en la escuela, tal vez pueda llamarlo. Sé que no puedo hablar con ella. No sé cómo hacer eso. Soy su padre, pero no quiere hablarme de sus problemas. Ella no me escucha. Ella nunca me escucha.

Oh, ¿en serio? No puedo hablar contigo porque nunca estás en casa. ¡Siempre estás trabajando!

—Sí, es joven. Ana solo tiene quince años. No tiene hermanas ni hermanos con quien hablar. Pobre Ana, no tiene madre. Ahora su mejor amiga no está aquí. No sé qué hacer.

¿Tú no sabes qué hacer? ¡Yo no sé qué hacer!

—No, ella no puede estar sola. Sí, lo entiendo. No sé qué hacer, pero necesito trabajar. ¡Hay una chica desaparecida!

¡Sí, puedo estar sola! ¡Soy casi un adulto! Tengo quince años. ¡Estoy sola la mayor parte del tiempo cuando estás trabajando!

—Sí, es una decisión importante, pero encontrar a Daniela es lo más importante ahora.

Encontrar a mi mejor amiga es importante. ¡Eso es lo más importante!

TRES

EL MIEDO

Son las ocho de la noche y mi padre no está en casa. Eso es normal. Todo es diferente sin Daniela, pero mi padre no está en casa, lo cual no es diferente. Estoy sola. Mi padre sigue trabajando. He estado sola desde que Daniela desapareció. Entro en la cocina y hay una nota en la mesa. Es una nota de mi padre.

Ana,

Hoy trabajo hasta tarde. Tienes que sacar a pasear al perro.
Hay una pizza en el refrigerador para cenar.
Llámame si hay algún problema.

Papá

¿Qué? ¿Necesito sacar a pasear al perro? ¿En la oscuridad? Estoy sola, no quiero. ¡Tengo miedo! ¡Tengo miedo de la oscuridad! Pero si no saco a pasear al perro, se va a hacer pipí en la casa. ¿Voy o no voy?

Mi casa está cerca de un bosque. Está cerca de árboles. Hay muchos árboles. Hay muchos árboles pequeños y muchos árboles altos donde vivo. Vivo en Perú.

No quiero salir sola en la oscuridad. No voy a ir. No soy valiente. Tengo miedo. Le tengo miedo a la oscuridad. No me gusta la oscuridad. Es normal tenerle miedo a la oscuridad. Especialmente aquí en Perú. ¡Especialmente si conoces la leyenda de "El Cuco"! Si vives en Perú, conoces la leyenda del Cuco. ¡Todos los que viven aquí conocen la leyenda del Cuco!

Cuatro

En el bosque

Son las ocho y media de la noche. Voy a salir porque el perro se va a hacer pipí en la casa. Camino sola en la oscuridad con Max. Max es el perro de mi padre. Tengo la correa del perro en mi mano. Estoy pensando en Daniela. En el pasado, antes de que ella desapareciera, pasábamos mucho tiempo juntas. No sacaba a pasear al perro sola. Daniela estaba conmigo. Esta noche no está aquí. Camino hacia los árboles del bosque. Camino despacio y pienso en Daniela. Daniela no le tiene miedo a nada. ¡No le tiene miedo a la oscuridad como yo!

Daniela, ¿por qué no soy como tú? ¡Eres.... valiente y fuerte! No soy ni fuerte ni valiente.

Sigo caminando lentamente por el bosque. Todo es negro y silencioso. Pero no estoy tranquila. Tengo miedo. Camino sin mirar a mi alrededor. Camino sin mirar los árboles. Solo estoy mirando a Max. No quiero saber si hay alguien o algo en el bosque conmigo. ¡Tengo miedo! ¡Tengo mucho miedo! Estoy pensando en El Cuco. De repente, oigo un ruido fuerte a lo lejos. Oigo otro ruido. Y otro más...

Miro a Max y se detiene inmediatamente. Sé que él también oye el ruido. Creo que está asustado. Sé que tengo miedo. Max mira en la dirección del ruido y yo estoy paralizada por el miedo. En ese momento pienso en el día en que Daniela desapareció.

¿Por qué fue sola ese día? Había una razón. Voy a encontrar la verdad.

Miro a Max y doy la vuelta. Giro hacia la casa. Estoy corriendo. Estoy corriendo a mi casa más rápido que nunca. Corro sin mirar a mi alrededor. No puedo respirar. Corro rápido y Max corre rápido delante de mí.

Abro la puerta y entro en la casa. Max también entra en la casa delante de mí. Cierro la puerta tan rápido como puedo y finalmente puedo respirar... ¡Uff!

Solo que ahora pienso en la leyenda una vez más... Pienso en El Cuco... y en Daniela que desapareció sin dejar rastro hace una semana.

CINCO

LA LEYENDA DEL CUCO

La leyenda del Cuco es bien conocida en Perú. Todo el mundo conoce esta leyenda. Algunos piensan que El Cuco existe y otros que no.

¿Yo? No sé si El Cuco existe. ¿El Cuco vive en el bosque? ¿En mi dormitorio ? ¿Debajo de mi cama? ¿El Cuco vive en el bosque detrás de mi casa? No es posible...

Cuando era pequeña, mi padre me contó la leyenda del Cuco. Muchas padres usaban El Cuco para disciplinar a los niños. Los padres querían convencer a los niños de ser buenos o de acostarse.

Cuando era pequeña mi padre cantaba una canción muy famosa para asustarme:

Duérmete niño,
duérmete ya,
que viene el Cuco
y te comerá.

19

Según la leyenda, hay una criatura que se come a los niños malos. Esta criatura visita a los niños que son desobedientes. No es una persona ni es un animal. No se sabe exactamente qué es. No se puede describir. Según la leyenda, El Cuco camina en los dormitorios o cerca de las casas de niños. El Cuco es muy peligroso y puede asustar o comer a los niños.

La noche que Daniela desapareció era viernes 13, y ella no era obediente... Daniela fue al bosque, pero no regresó.

El tiempo pasa... El tiempo no pasa rápidamente. El tiempo pasa lentamente. Desde la desaparición de Daniela, todo ha sido lento: los días, las horas, los minutos... y hasta los segundos.

SEIS

EL SUEÑO INOLVIDABLE

Son las diez de la noche. No hay nadie en la casa excepto yo. Mi padre trabaja. No puedo oír nada. Hay mucho silencio en la casa. Y de repente, oigo «*rin rin*», es mi celular. Eso me asusta. Lo miro y veo... *la estación de policía.* Yo respondo.

—Hola, papá.

—Hola, Ana. ¿Cómo estás?

—Estoy bien.

—¿Comiste pizza para cenar?

—Sí, comí pizza.

En realidad, no comí. No tenía hambre. Desde la desaparición, no he comido mucho.

—¿Sacaste a pasear al perro?

—Sí.

Si no trabajaras tanto, podrías sacar a pasar a tu perro.

—Dale, no te olvides de cerrar la puerta esta noche. ¿Me oyes?

No le respondo inmediatamente.

—Ana... Ana. ¿Estás ahí? ¿Estás ahí? ¿Puedes oírme?

—Sí. Puedo oírte. Adiós.

Mi padre es oficial de policía. Me llama todo el tiempo cuando trabaja hasta tarde. La semana pasada empezó a llamarme más y más. Después de la desaparición de Daniela, empezó a trabajar más. Ahora está trabajando más en la investigación de su desaparición. No sé si está trabajando más y más porque ella era mi mejor amiga o porque es la primera joven que ha desaparecido en nuestra ciudad. Pero si alguien puede encontrar a Daniela, es mi padre. Es buen investigador. Es el mejor investigador del Perú.

Todo el mundo sigue buscando a Daniela. Hay mucha gente buscándola. La buscan por la mañana. La buscan por la tarde. La están buscando por la noche. Siguen buscándola.

Son las once y estoy cansada. Voy a mi dormitorio. Camino a mi cama cuando veo la foto de Daniela que encontré hoy en la escuela.

¿Quién puso esa foto frente a su casillero?

Estoy tratando de dormir, pero no puedo. No puedo porque hay mucho ruido afuera. Hay un viento horrible. Sólo oigo el viento. El viento que aúlla como los lobos. Dejo volar mi imaginación.

¿Qué hora es?

Miro la hora. Es medianoche. Hay un completo silencio en la casa, pero puedo oír *"tic-tac" "tic-tac" "tic-tac" "tic-tac"*. Tengo miedo. El silencio amplifica todos los sonidos nocturnos normales de mi imaginación. Pienso en el último día que vi a Daniela...

SIETE

La desaparición

Hace una semana...

Es el viernes, 13… Daniela y yo estamos en la escuela. Como siempre, estamos juntas en clase. Tenemos las mismas clases en la escuela. Durante el almuerzo, Daniela me lo dice:

—*Ana, tenemos que hablar. Es importante. Es muy importante.*

—Dale. ¿De qué quieres hablar?

—La otra noche vi a El Cuco. No es una leyenda. El Cuco existe.

—¿Qué? ¿El Cuco? Es solo una leyenda, Daniela. El Cuco no existe.

—Ana, entiendo y sé que todos dicen que es solo una leyenda, pero había alguien o algo caminando en el bosque cerca de mi casa que se parecía a El Cuco.

—Creo que era solo un animal, no El Cuco. No creo que El Cuco exista, Daniela.

Nuestros padres nos cuentan la leyenda del Cuco solo para asustarnos. Nuestros padres no quieren que caminemos solos por el bosque durante la noche. ¡Es peligroso! ¡Es muy peligroso!

Daniela no me responde inmediatamente. Piensa en silencio. Tiene una expresión extraña. Parece preocupada. Ya no me menciona a El Cuco.

Después de la escuela, Daniela camina hacia su casa. Voy a caminar con Daniela. Caminamos desde la escuela todo el tiempo. Tenemos que caminar por el bosque para volver a casa. Ese día, Daniela no habla tanto de la leyenda. Camina en silencio, pero camina más rápido de lo habitual. Le dije: -Daniela, ¿por qué caminas tan rápido?

Me mira, pero sigue caminando.

Grito: —¡Daniela, basta! Tienes que explicarme por qué pareces preocupada hoy. No te entiendo.

Finalmente, deja de caminar. Está empezando a explicar.

—No puedo explicarlo. No sé por qué, pero oigo ruidos. Oigo muchos ruidos por la noche, Ana.

—No lo entiendo. ¿Qué ruido es ese?

—Oigo un grito. Creo que es un animal gritando. Por la noche, cuando oigo ruidos, no puedo dormir.

Veo que está nerviosa. Parece preocupada. No sé qué decir, pero sé que tengo que asegurarle que todo está bien.

—No te preocupes, Daniela. Estoy segura de que puedes oír los sonidos de un perro en el bosque. Hay muchos perros alrededor del bosque. Oigo perros por la noche.

Ella me mira un momento. Ella no me responde. Seguimos caminando. Caminamos en silencio hasta llegar a nuestras casas.
Lo último que le dije ese día fue esto:

—Daniela, llámame esta noche después de la cena y podemos seguir hablando.

Daniela nunca me llamó esa noche.

Al día siguiente mi padre me dijo que ella había desaparecido y que la policía y la comunidad la estaban buscando. Me hizo muchas preguntas sobre mi último día con Daniela. Me hizo muchas preguntas sobre mi última conversación con Daniela. Le expliqué todo.

Daniela, ¿dónde estás...? ¿Por qué no me llamaste?

OCHO

UNA LLAMADA DE TELÉFONO DURANTE LA NOCHE

Es la una de la mañana cuando miro la hora. No puedo dormir. Miro por la ventana de mi dormitorio. Veo la luna. La luna brilla en el cielo. En ese momento, oigo «*rin rin*»,. Es mi celular. Eso me asusta. Lo miro y en mi celular veo... Daniela.

¿Daniela? ¿Es posible? ¿Es posible que Daniela me llame?

Tengo mi celular en la mano. Me tiembla la mano. Estoy paralizada por el miedo.

Es Daniela, ¿por qué tengo miedo? Ella es mi mejor amiga. No le tengo miedo a mi mejor amiga...

Miro mi celular y lentamente contesto: -¿Hola?

Nadie contesta. Repito, ¿Hola, Daniela? ¿Hola? ¿Estás ahí? ¿Eres tú?

Nadie contesta. No puedo respirar. Me tiembla la mano. De repente, oigo un grito. Es un ruido como ningún otro. Eso me asusta. Silencio...

No hay nadie en la otra línea. No queda nadie en la otra línea... No puedo oír nada. Solo silencio.

En ese momento, hay un ruido en la distancia. Es una puerta que se abre. ¡Y luego la puerta se cierra de golpe! ¡Bam! ¡Bam! El miedo me paraliza. No puedo respirar. Oigo pasos. Los pasos están fuera de la puerta de mi dormitorio. Cierro los ojos. No puedo respirar. Mis manos tiemblan y oigo una voz. Es la voz de mi padre.

—¿Ana? ¿Estás durmiendo?

Lentamente abro los ojos y veo a mi padre junto a mi cama.

—¿Papá? ¿Papá? ¿Eres tú? Oh, no, no estoy durmiendo. No puedo dormir. Daniela me llamó.

—¿Eh? Ana, ¿por qué no me llamaste?

—Tenía miedo. No podía respirar, papá. Y unos minutos después, estabas en mi dormitorio.

—¿Qué te ha dicho? ¿Qué ha pasado?

—Nada...

—¿Nada? No lo entiendo.

—Estaba en mi cama y no podía dormir cuando oí «rin rin», era mi celular. Me asustó. Lo miré y vi --Daniela en mi celular. Cuando contesté, no había nadie en la otra línea.

—¿No hablaste con Daniela? ¿No había nadie en la otra línea? - me preguntó mi padre con una voz seria.

—No, no había nadie en la otra línea. Acabo de oír a un animal gritar. Fue extraño.

—¿Un grito? Dale, Ana, necesito tu celular. Tengo que ir a la estación de policía con esta información. Esto es importante.

Quieres mi celular. ¿Y si Daniela intenta llamarme de nuevo?

—No, papá. Necesito mi celular.

—Entiendo que estés preocupada, Ana, pero tu celular puede ayudarnos a encontrar a Daniela. Es importante. Es muy importante.

NUEVE

SU REGRESO

Son las siete de la mañana. Tuve el mismo sueño. Siempre es el mismo sueño desde que Daniela desapareció sin dejar rastro... Ella repite la misma frase.

—*Ana, tenemos que hablar. Es importante.*

¿De qué quiere hablar? Las palabras me persiguen. El sueño me persigue.

No puedo quedarme en casa. Necesito hablar con mi padre. Tengo que ayudarlo a encontrar a Daniela. Voy a la estación de policía. Cuando entro en la estación de policía todo el mundo está en pánico. Todo el mundo habla y en ese momento, oigo la voz de mi padre. Veo a un policía corriendo hacia la puerta de la estación. Veo a otro policía que parece preocupado. Mira la puerta mientras habla por celular.

Hay pánico en la estación de policía. Más gente corre hacia la puerta cuando entro. A lo lejos, veo a mi padre con otra persona. Está hablando con otro investigador. Mi padre parece serio y el otro investigador parece asustado. Hablan rápido, pero no entiendo la conversación. Estoy tratando de escuchar. Puedo oír un poco. Yo solo entiendo: *Sí... es ella... su casa... Sí... esta mañana... No... no ahora...*

En ese momento lo entiendo todo. ¡Daniela ha vuelto! Estoy corriendo hacia mi padre. No me mira inmediatamente. Finalmente, cuando me acerco a él, me ve. Me mira con una expresión muy confusa y me dice:

—¡Ana! ¿Qué estás haciendo aquí? ¿Te encuentras bien?

—Papá. ¿Dónde está Daniela? ¿Está en peligro? ¡Papá! ¡Papá! ¡Cuéntame!

—Ana... Cálmate... Puedo explicarlo. Daniela no está en peligro. Ella está en su casa. ¡Ha vuelto!

—¿En su casa? No lo entiendo? ¿Cuándo regresó?

En ese momento, me entró el pánico. No puedo respirar. Tengo muchas emociones. Estoy desconcertada por la situación. Me alegro de que mi mejor amiga haya vuelto. Estoy nerviosa. Miro a mi padre y me pongo a llorar. Mi padre me pone la mano en la cabeza y empieza a caminar. Entra en su oficina. Camino detrás de él.

—Ana... Todavía hay muchas preguntas. Todavía hay muchas cosas que no entiendo. Su madre me llamó esta mañana temprano y me explicó que Daniela estaba en su dormitorio, durmiendo. No está en peligro.

No digo nada. Estoy pensando en Daniela.

¿Estaba en su dormitorio? ¿Estaba dormida? Daniela, ¿qué pasó? ¿Dónde estuviste durante una semana?

DIEZ

UNA VISITA IMPORTANTE

Unos minutos después, corro. Corro a la puerta para salir de la estación de policía. Corro rápido, sin respirar. Estoy corriendo, pero lo único en lo que puedo pensar es en

Daniela. Necesito hablar con ella. Necesito entender por qué desapareció sin dejar rastro. Tengo que encontrar la verdad.

Voy a su casa. ¡Me estoy volviendo loca! Finalmente, estoy respirando. Respiro y llamo a la puerta. La puerta se abre y veo a su madre. Unos minutos después, estoy en el dormitorio de Daniela.

¿Por qué desapareciste? ¿Dónde has estado? ¿Dónde has estado?

Miro a Daniela en silencio. Me está mirando. Me mira sin expresión. Quiero abrazarla, pero miro sus manos y brazos. Veo algo extraño. Veo heridas... muchas heridas. Parece muy cansada. Parece enferma.

Daniela, ¿qué pasó? ¿Por qué tienes heridas?

En ese momento, entiendo que hay muchas cosas que no sé sobre mi mejor amiga. Ella no me mira. Está en su cama y mira por la ventana en silencio. Finalmente, ella dice:

—*Ana, tenemos que hablar. Es importante.*

Oh no. Las palabras que me persiguen... Ahora entiendo lo que pasó... Sé exactamente lo que va a decir...

Me mira y me dice:

—Existe. El Cuco no es solo una leyenda. El Cuco existe…

GLOSARIO

A

a - to
abrazarla - to hug her
abre - s/he opens
abro - opened
acabo - I finish
acerco - I move closer
acostarse - to go to bed
adiós - goodbye
adulto - adult
afuera - outside
ahí - there
ahora - now
al- at the/to the
(me) alegro - I am happy
algún - any

algo - something
alguien - anyone, anybody, someone
algunos - some
allí - there
almuerzo - lunch
alrededor - around
altos - tall
amiga - friend
amplifica - amplifies
animal - animal
antes - before
aquí - here
árboles - trees

44

asegurarle - to assure her

(me) **asustó** - scared me

asusta - s/he scared

asustado - scared

asustar - to scare

asustarme - to scare me

asustarnos - to scare us

ayudarlo - to help him

ayudarnos- help us

B

basta - enough

bebé - baby

bien - well

bosque - forest

brazos - arms

brilla - shines

buen - good

buenos - good

buscándola - looking for her

buscan - they look

buscando - looking

C

cabeza - head

cada - each

cama - bed

camina - s/he walks

caminamos - we walk

45

caminando - walking
caminar - to walk
caminas - you walk
caminemos- we walk
camino - I walk
canción - song
cansada - tired
cantaba - s/he used to sing
cartas - cards
casa(s) - house(s)
casi - almost
casillero - locker
celular - cell phone
cena - dinner
cenar - dinner
cerca - near

cerrar - to close
chica - girl
cielo - sky
(se) cierra - it closes
cierro - I close
ciertamente - certainly
ciudad - city
clase(s) - class(es)
cocina - kitchen
(se) come - s/he eats up
comerse - to eat up
comí - I ate
(he) **comido -** I have eaten
comiste - you ate
como - like, as
cómo - how

completo - complete
comunidad - community
con - with
confusa - confused
conmigo - with me
conoce - s/he knows
conocen - they know
conoces - they know
conocida - known
(me) **contó -** s/he told me
contesté - I answered
contesta - answers

contesto - I answer
contigo - with you
convencer - to convince
conversación - conversation
corre - s/he runs
correa - leash
corriendo - running
corro - I run
cosas - things
creo - I believe
criatura - creature
cual - which
cuando - when
cuco - is a mythical monster that is part of a legend used

47

throughout Spain
and Latin America
as a fright tool to
keep the children
off the streets late
at night and to
make them go to
sleep.
cuéntame - tell
me
(nos) **cuentan** -
they tell (us)

D

da - s/he gives
dale - o.k.
de - from, of, by
debajo de -
underneath
decir - to say
decisión -
decision

deja - s/he stops
sin **dejar** rastro
- without leaving
a trace
dejo - I let
del - from the, of
the
delante - in
front of
desapareció -
s/he disappeared
desaparecida -
missing
desaparecido -
missing
desapareciera
- s/he would
disappear
desapareciste -
you disappeared
desaparición -
disappearance
desconcertada
- surprised

describir - to describe
desde - since
desobedientes - disobedient
después - after
(se) **detiene** - s/he stopped
detrás - behind
día - day
día tras día - day after day
dice - s/he says
dicen - they say
(ha) **dicho** - did you say
diferente - different
difícil - difficult
digo - I say
dije - I said
dijo - s/he said
dirección - direction

disciplinar - to discipline
distancia - distance
dónde - where
dormida - asleep
dormir - to sleep
dormitorio(s) - room(s)
doy la vuelta - I turn back
duérmete - you go to sleep
durante - during
durmiendo - sleeping

E

eh - huh
el - the

ella - she
emociones - emotions
empezó - s/he, it started
empezando - starting
empieza - s/he starts
en - in
encontrar - to find
encontré - I found
encuentras - you find
enferme - sick
entender - to understand
entiendo - I understand
(me) **entró** - I entered

entra - s/he enters
entro - I enter
era - s/he was
eres - you are
es - s/he, it is
esa - that
escucha - s/he hears
escuchando - listening
escuchar - to listen
escuela - school
ese - that, that one
eso - that
especialmente - especially
está - it is
esta - this
estaba - s/he was

50

estaban - they were
estabas - you were
estación - station
  estación de policía - police station
estado - state, condition
estamos - we are
estar - to be
esto - this
estoy - I am
estuviste -
exactamente - exactly
ecepto - except
exista -
existe - s/he exists

explicó - s/he explained
explicarlo - to explain it
explicar - to explain
expliqué - I explained
expresión - expression
extraña - strange
extraño - strange

F

famosa - famous
finalmente - finally
flor(es) - flower(s)

foto(s) - photo(s)
frase - phrase
fue - was, s/he went
fuera - oustide
fuerte - strong

G

gente - people
ha - has
había - there was
habitual - usual
habla - s/he talks
hablan - they talk
hablando - talking
hablar - to talk
hablarme - talk to me

giro - I turn
golpe - bang
gritando - yelling
gritar - to yell
grito - I yell
(me) gusta - I like

H

hablaste - you spoke
hable - talk
habló - s/he talked
hace muchas preguntas - s/he asks many questions
hace una semana - one week ago
hacer - to do

hacia - towards
haciendo - doing
hambre - hunger
has - have you
  has estado - have you been
hasta - until
hay - there is, there are
haya - s/he has
  haya vuelto - s/he has returned
he - I've
hecho - fact
heridas - wounds
hermanas - sisters
hermanos - brothers

(se) **hicieron** - they had asked themselves
hizo muchas preguntas - s/he asked many questions
hola - hello
hora - hour
horas - hours
horrible - today
hoy - today

I

imaginación - imagination
importante - important
información - information
inmediatamen te - immediately

inolvidable -
unforgettable
intenta - s/he
intends
investigación -
investigation
investigador -
investigator
ir - to go

J

joven - young
juntas -
together
junto - together

L

la - the
lado del - on
the side of
las - the

le - him, her
(a lo) **lejos** - in
the distance
lentamente -
slowly
lento - slow
leyenda -
legend
llámame - call
me
(me) **llama** -
s/he calls me
llamada - call
llamarlo - call
him/her
llamaste - you
called
llame - s/he is
calling
llamé - I called
llamo - I knock

(me) **llamó** -
s/he called me
llegando -
arriving
llegar - to arrive
llevo - I carry
línea - line
llorar - to cry
lo - him, it,
lobos - wolves
loca - crazy
loco - crazy
los - the
luego - later
luna - moon

M

mañana -
tomorrow
madre - mother
malos - bad
mano(s) -

hand(s)
mayor - greater
me - me, to me
media - half
past
medianoche -
midnight
mejor - best
menciona -
s/he mentions
mesa - table
mi - my
miedo - fear
mientras -
while
minutos -
minutes
miré - I looked
mira - s/he
looks
mirando -

looking
mirar - to look
miro - I look
mis - my
misma(s) - same
mismo - same
momento - moment
mucha(s) - a lot, many
mucho(s) - a lot, many
mundo - world
murió - s/he died
muy - very

N

nada - nothing

nadie - no one, nobody
necesito - I need
negro - black
nerviosa - nervous
ni - nor
ningún - no
niños - children
no - no
noche - night
nocturnos - nighttime
normal(es) - normal
nos - us
nota - note
nuestra(s) - our
nuestro(s) -

our
nuevo - again
nunca - never

O

oí - I heard
obediente -
obedient
ocho - eight
oficial - official
oficina - office
oh - oh
oigo - I hear
oírte - hear you
ojos - eyes
olvides - you
forget
oscuridad -
darkness
otra(s) - other,

another
otro(s) - other,
another
oye - s/he hears
oyes - you hear

P

padre - father
padres -
parents
palabras -
words
pánico - panic
papá - dad
para - for
paraliza - s/he
is paralyzed
paralizada -
paralyzed
(se) **parecía** - it

looked, seemed
parece - s/he seems
pareces - you seem
parte - part
(en todas)
partes - everywhere
pasó - happened
pasa - passes
pasábamos - we used to spend
pasada - last
pasado - past
(ha) **pasado** - happened
pasos - footsteps
pegada - stuck
pegado - stuck

peligro - danger
peligroso - dangerous
pensamientos - thoughts
pensando - thinking
pensar - to think
pequeña - small
pequeños - small
Perú - country in latin america
pero - but
perro(s) - dog(s)
persigue - s/he, it haunts
persiguen - they haunt

persona - person

pesadilla - nightmare

piensa - s/he thinks

piensan - they think

pienso - I think

pipí - pee

plantas - plants

pobre - poor

poco - a little

podemos - we can

podía - s/he couldn't

podrías - you would be able

policía - police

pone - s/he puts

ponemos - we put

pongo - I put

por - for

porque - because

posible - possible

(me) **preguntó** - I asked myself

pregunta(s) - question(s)

pregunto - I ask

preocupaciones - worries

preocupada - worried

preocupado - worried

(no te) **preocupes** - don't worry

primera - first

problema(s) - problem(s)

pueda - s/he can

puede - s/he can

puedes - you can

puedo - I can

puerta - door

pusimos - we put

puso - put

Q

qué - what

que - that, which

(lo) **que** - that which

queda - s/he stays

quedarme - stay

queremos - we want

quién - who

querían - they wanted

quiere - s/he wants

quieren - they want

quieres - you want

quiero - I want

quince - fifteen

R

rápidamente - quickly
rápido - fast
rastro - trace
razón - reason
realidad - reality
refrigerador - refrigerator
regresó - s/he returned
regreso - return
de **repente** - all of a sudden
repite - s/he , it repeats
repito - I repeat
respetar - to respect

respirando - breathing
respirar - to breathe
respiro - I breathe
responde - s/he responds
respondo - I respond
rin rin - ring ring
roja - red
ruido(s) - noise(s)

S

saben - they know
saber - to know

sabes - you know
sacaba a pasear al perro -
sacar a pasear al perro - to take the dog for a walk
sacaste a pasear al perro - you took the dog for a walk
saco a pasear al perro - I take the dog for a walk
salón - living room
salir - to go out

sé - I know
según - according to
seguimos - we continue
seguir - continue
segundos - seconds
segura - certain
seis - six
semana - week
ser - to be
seria - serious
serio - serious
si - yes, if
(ha) sido - had been
siempre - always
siete - seven

sigo - I continue
sigue - s/he continues
siguen - they continue
siguiente - following
silencio - silence
silencioso - silent
sin - without
sino - but
situación - situation
sobre - about
sola - alone
solo - only
solos - alone
son - they are
sonidos - noises

soy - I am
su - his, her
sueño - dream
suelo - floor
sus - his, her
suyo - hers

T

tal vez - maybe
también - also
tan - so
tanto - so much
tarde - late
te - you
tenemos - we have
tener - to have
tengo - I have (he) **tenido** - I had

terapeuta - therapist

ti - you

(me) tiembla - I am trembling

tiemblan - they are trembling

tiempo - time

tiene - s/he has

tienes - you have

todas - all, every, everything

tadavía - yet, still

todo - all, every, everything

todos - all, every, everything

trabaja - s/he works

trabajando - working

trabajar - to work

trabajaras - you work

trabajo - I work

tranquila - calm

tras - after

    día tras día - day after day

tratando - trying

triste - sad

tu - your

tuve - I had

U

uff - ugh

última - last

último - last
un - a
una - a
unas - some
único - only
unos - some
usaban - they used

V

va - s/he goes
valiente - brave
ve - s/he sees
ventana - window
veo - I see
ver - to see
verdad - truth
vez - time
vi - I saw

vida - life
viene - s/he comes
viento - wind
viernes - friday
visita - s/he visits
vive - s/he lives
viven - they live
vives - you live
vivo - I live
volar - to fly
   dejo volar mi imaginación - I let my imagination run wild
volver - to return
volviendo -

returning
voy - I go
voz - voice
vuela - flies
vuelta - turn
   doy la
vuelta - I turn
back
vuelto -
returned

y

y - and
ya - already
   ya no - not
yet, not anymore
yo - I

ABOUT THE AUTHOR

Theresa Marrama is a French teacher in Upstate New York. She is certified in French and Spanish and has been teaching French to middle and high school students for 11 years. She has translated a variety of Spanish comprehensible readers into French and is also a published author. She enjoys teaching with Comprehensible Input and writing comprehensible stories for language learners.

Her books include:
Une Obsession dangereuse, which can be purchased at www.fluencymatters.com

Her books on Amazon include:
Une disparition mystérieuse
L'île au trésor: Première partie: La malédiction de l'île Oak
La ofrenda de Sofía

Made in the USA
Monee, IL
05 September 2022